当当网终身五星级童书

★ ★ ★ ★ ★

我梦游到仙境

据［法］克利斯提昂·约里波瓦同名绘本动画片改编

郑迪蔚／编译

不一样的卡梅拉动漫绘本

下蛋，下蛋，总是下蛋！

生活中肯定有比下蛋更好玩的事情！

我进入了一个绚丽的梦幻世界……

幽静的夜晚，天空中闪烁的星星像守护神一样保卫着小鸡们的安全。

鸡舍里，小鸡们都在酣睡，一个个打着均匀的呼噜沉浸在美妙的梦乡。

卡梅利多忽然翻身起床。

zzzzz……

卡梅利多的动作把睡在一旁的卡门惊醒了，她惊奇地看到哥哥伸直双手摇摇晃晃地推开鸡舍大门走出去，好像有一种力量在推动他不顾一切地朝前走。

“卡梅利多，你要去哪儿？”

卡门感到有些不对劲，赶紧跟了出去。只见卡梅利多闭着眼睛走下楼梯，步伐僵硬而缓慢地向围墙走去。

路过稻草堆的时候，也不绕行，活生生把熟睡的贝里奥给踩醒了。

“卡梅利多，你踩我干吗？我不是在做梦吧？”

“他边走边睡觉！”卡门从后面跑过来，“卡梅利多的脑子是不是出问题了？”

卡梅利多什么也听不见、看不见，他犹如置身在幻象中，虚飘飘地朝栅栏门走去。公鸡爷爷张开双臂试图拦住卡梅利多：“站住，小伙子！天哪，卡梅利多在梦游呢！”

卡梅利多不理会爷爷的阻拦，继续向前走。

“这下我明白为什么他每天晚上都不在鸡舍里睡觉了。”公鸡爷爷无奈地摇着头。

“很严重吗？”卡门紧张地问。

“哦，不严重，他这是在梦游。但一定要盯紧了！千万不能叫醒他，否则会很危险！”

卡门和贝里奥赶紧追上卡梅利多。

但他们没想到在茂密的灌木丛中，危险正在等待着这三个好朋友。

“快点！贝里奥。”卡门跑在前面，“别把卡梅利多跟丢了。”

卡梅利多熟练地在小道上穿行，不一会儿走到了独木桥前。

“天哪，卡梅利多会摔下去的！”卡门三步并作两步跑到独木桥前，卡梅利多已经稳稳地走了过去。

忽然，贝里奥回头看见六只贼亮的眼睛正直勾勾地盯着他，吓得他以最快的速度冲过独木桥。卡门被贝里奥打乱了脚步，脚一滑，一起朝谷底摔了下去。

“啊，我……我恐高，看起来很危险，我……”贝里奥摇摇晃晃地站在桥上。

从灌木丛里冲过来的坏田鼠们失望地朝下张望。

“可惜，到嘴的肥肉没了！”

“别急，还有一个！”普老大指指桥那边的卡梅利多。

卡门和贝里奥从高高的独木桥上摔下，幸好有层层树叶的阻挡，下面又是蓬松的灌木，所以没受什么伤。

“哇……好险哪！”卡门爬起来拍拍身上的树叶。

贝里奥吓出一身冷汗：“我……我没死吧？”

卡梅利多根本不知道身后发生了那么多事情，他只顾往前走。黑森林的一棵大树旁睡着一位漂亮的小女孩，她身边立着一面巨大的镜子，镜子闪着炫目的光芒，似乎能吸进所有的东西。

卡梅利多径直走进了镜子里，转眼就消失了。

跟在后面的田鼠普老大很不甘心，伸手就能抓住的小鸡就这么从眼前消失了，他气急败坏地疾步跑上前。

“太诡异了！头儿，我们撤吧？”田鼠克拉拉有点胆怯。

“不可能！别想从我手里溜走！”

“怎么回事？小鸡走进镜子里了！”田鼠细尾巴困惑地望着镜子。

“既然我的‘烤鸡’能进去，我也要进去！”田鼠普老大也迈开鼠腿跟了进去。

“贝里奥，快，他们都进去了，跟上！”卡门说着也走进了镜子里。

“进去？不进去？我该怎么办？”贝里奥对镜子里面的未知世界感到很害怕。

但他无论如何也不能丢下朋友，贝里奥一狠心，闭上眼，跨进了镜子里。

就在跨进的一瞬间，贝里奥眼前出现一个五颜六色的神奇世界。

天空中四处飘浮着一朵朵漂亮极了的大蘑菇。

绚丽的景色让贝里奥目不暇接，竟一脚踩空摔了下去，幸好被卡门抓住了尾巴。

这时，他们惊奇地看到卡梅利多正悬空从远处飘过。

“卡梅利多！”

卡门一着急，不小心手一松，贝里奥摔了下去。幸好飘来一朵巨大的蘑菇把他接住，他趴在蘑菇上随着气流朝前飘荡。卡门也跳到一朵大蘑菇上，眼前的景象简直犹如遨游太空一般，让她既紧张又兴奋。

啊！

贝里奥匍匐在五彩蘑菇上，紧张地向四周搜寻着伙伴。

“卡梅利多！你在哪儿？”

卡梅利多降落在巨大的鸟窝里，他全然不知危险，继续往前走。

在贝里奥面前突然出现一棵巨大的枯树，似乎要冲破天际。令人惊奇的是上面垂挂着一组组发光的植物，晶莹剔透像一串串水晶花朵，镜子般映射出贝里奥的样子，小绵羊被眼前的奇景惊呆了，忘记了恐惧。

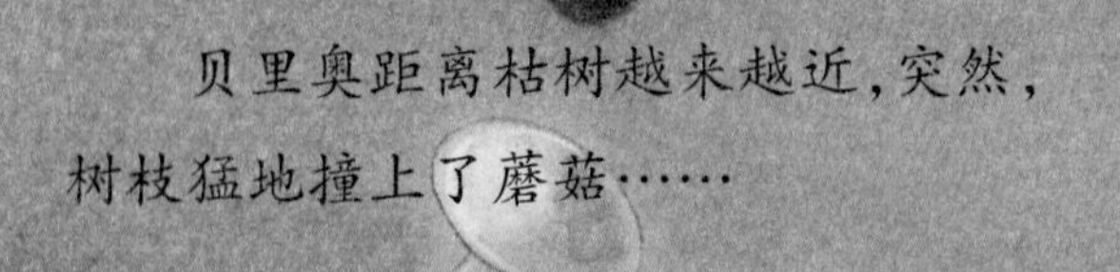

贝里奥距离枯树越来越近，突然，树枝猛地撞上了蘑菇……

蘑菇受到外力的冲击，像个皮球似的反弹得又高又远，接着翻滚着向下坠落。

“啊！不……停下来！我要下去！”贝里奥吓得惊叫。

卡门驾驭着蘑菇向贝里奥坠落的方向追去。

突然，弯曲的枯树枝接住了贝里奥。

“好高啊！吓死我了……”

但贝里奥的重量很快压断了树枝，急速下降的贝里奥竟朝着树枝上的金色大鸟窝直冲过去……

贝里奥一头冲进鸟窝，被扬起的草灰呛得直咳嗽。

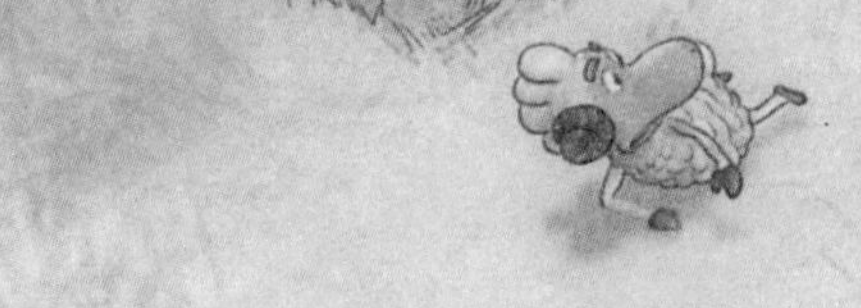

鸟窝里耸立的三个巨大鸡蛋把贝里奥弄蒙了：“我现在在哪儿？看起来像鸡窝！至少没有可恶的坏蛋田鼠在这儿……”

他的话还没说完，壳突然破了……

“说坏蛋——”

“坏蛋到！”

逃命啊！

贝里奥看到一个树洞，马上跳了下去，弯曲的枯树干像个永远也滑不完的旋转滑梯，载着贝里奥急速下滑……

“哦，我的羊毛。这疯狂的冒险什么时候是个头啊？”

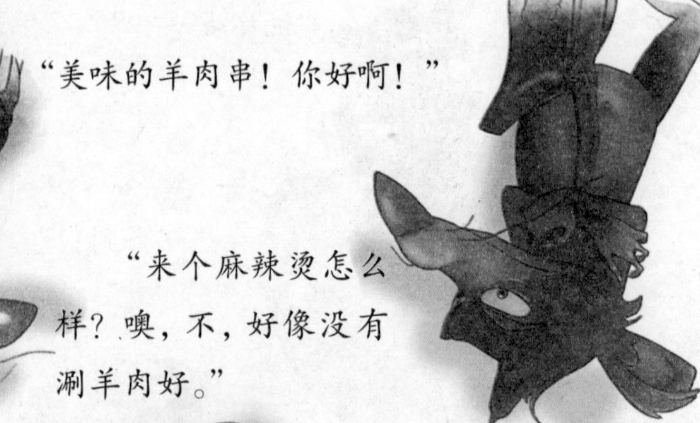

“美味的羊肉串！你好啊！”

“来个麻辣烫怎么样？噢，不，好像没有涮羊肉好。”

卡门从蘑菇上摔了下去，掉在软绵绵的云彩里，她仰望着梦幻般的天空和上面飘浮的蘑菇，兴奋地跳起来。

“我正好借此机会好好学习飞翔！”卡门一转头看见卡梅利多从身边走过，“卡梅利多！你在这儿啊。”

可她还没高兴一秒钟，就看见卡梅利多继续朝前方深不见底的云层走去。

“哦，不，卡梅利多！停住，危险！”

卡门赶紧从树旁扛来一朵蘑菇垫在卡梅利多的脚下，让他不会摔下去。

但仅有一朵蘑菇是不够的，卡门不断找来蘑菇垫在前面……如此循环，好像搭了一座彩虹桥，累得她气喘吁吁，又丝毫不能懈怠。

“卡梅利多，你要往哪儿走?!”

贝里奥惊恐万状地从后面跑过来：“噢，卡门！我们怎么从这里出去？这简直比噩梦还可怕！”

卡门稍一走神，再回头看卡梅利多时，他已经走过蘑菇浮桥，从镜子里出去了。

“快跑！追上卡梅利多！”

“等等我！”贝里奥跟着卡门从镜子里跑了出去。

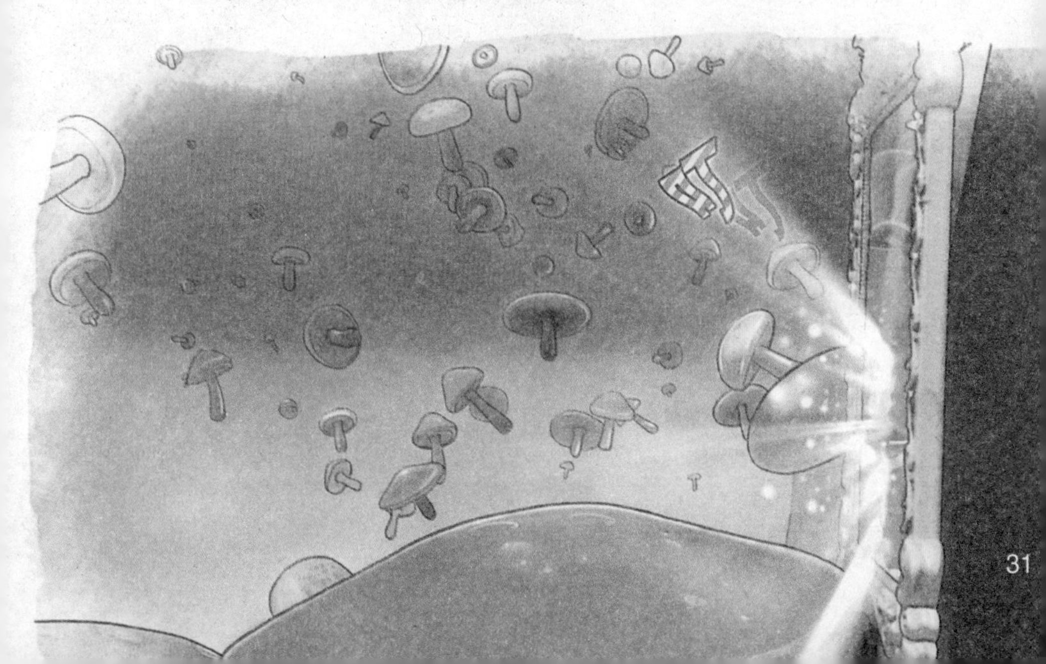

卡门和贝里奥一出镜子就看见旁边坐着笑眯眯的小女孩。而卡梅利多还没有醒来，伸直了胳膊站在原地不动。

“欢迎来到我的梦境，朋友们！”

小女孩轻轻地在卡梅利多的耳边打了一个响指。

“好啦，醒醒吧，我的小鸡！”

啪！

“我怎么会在这儿？”卡梅利多如梦初醒，“你是谁？”

“我叫爱丽丝，每天晚上我都会邀请你到我的梦中来！你可是这里的主角哦！”

“主角！天哪，我成了主角！我的朋友们要嫉妒死了！”

“哦，这就是为什么卡梅利多白天总是无精打采，原来晚上忙着当你的主角，才没睡好觉呀！”卡门生气地说。

“哦，我很抱歉。”爱丽丝有些不好意思，“但我每天都要做梦，如果卡梅利多不当我的主角了，那谁来当呢？”

爱丽丝瞥见站在旁边的贝里奥。

“嗯，让我想想……”

贝里奥吓得腿都软了。

“哦不！我受够了在别人的梦里！”

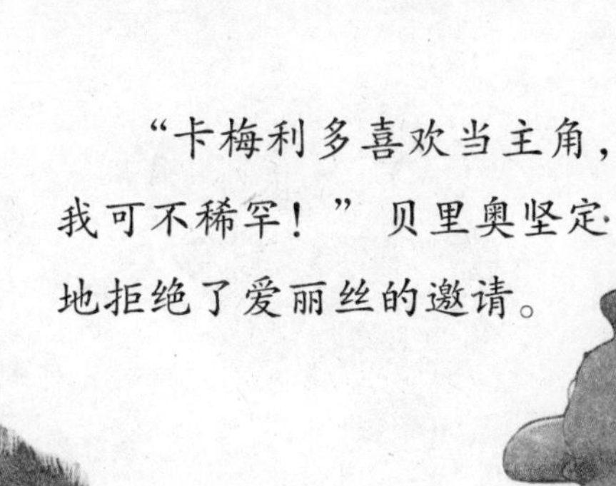

“卡梅利多喜欢当主角，我可不稀罕！”贝里奥坚定地拒绝了爱丽丝的邀请。

这时，三只坏田鼠也从镜子里出来了，他们趁大伙没注意，躲进了爱丽丝的玩具房子。

“老大，出大事了！我们怎么变得比小鸡们还小？”田鼠细尾巴尖声尖气地问。

田鼠普老大也不明白为什么变成了迷你身材，小声说：“咱们乔装打扮先混出去再说！”

爱丽丝正为贝里奥的不合作态度生气，突然看到脚下出现三只小田鼠。

“呵呵，他们太好玩了！”

田鼠普老大从玩具房子里找到了洋娃娃穿的小裙子和假发，让克拉拉和细尾巴都穿上，然后打着阳伞、拎着裙子，假装什么事也没有发生，迅速朝灌木丛跑去。

爱丽丝伸手拦住了他们的去路。“哈哈，我找到梦里的主角了，这几只小田鼠真好玩！”

“他们将进入我下一个梦里，”爱丽丝转身对卡梅利多说，“朋友们，梦结束了！”

第二天，睡眠充足的卡梅利多在球场上健步如飞。他以一对二，闪过小胖墩、大嗓门的阻挡，接过贝里奥的传球，朝大门跑去。

“加油！卡梅利多！”啦啦队队长卡门带着痘痘妹和小凯丽站在围墙上高喊。

“射门！卡梅利多！”

“集中注意力！”

鸬鹚佩罗把住大门。

“这么大的力道！他吃什么了?!”佩罗吓得闪到一边。

“真棒，卡梅利多！”卡门在场边吆喝。

“进球！”卡梅利多兴奋地跳起来。

“噢！这才像我的卡梅利多！”卡梅拉骄傲地望着儿子。

“是啊！自从他不再梦游，好好睡觉之后，就是个棒小伙了！”公鸡爷爷补充道。

“快看，看那边！”卡梅利多惊讶地指着远方。

只见，田鼠普老大、克拉拉和细尾巴穿着裙子，戴着假发，一边走一边打鼾，伸直胳膊排着队朝森林深处走去。

“今晚森林里有演出吗？”痘痘妹不解地问。

“不是，他们正赶着去爱丽丝那里做白日梦呢！”卡门笑着回答，“做个好梦，坏蛋们！”

你们知道是谁创作了爱丽丝吗？是英国作家路易斯·卡罗尔，他在19世纪创作了著名的《爱丽丝梦游仙境》（Alice in Wonderland）。

故事讲述了一个叫爱丽丝的小女孩，在梦中因追逐一只兔子而掉进了兔子洞，在这个奇幻仙境，开始了漫长而奇异的历险。直到最后与扑克牌红王后、红王发生顶撞，急得大叫一声，才大梦初醒。童话自1865年出版以来，一直深受读者喜爱。

而爱丽丝就是作者好友女儿的名字，天哪，太神奇了！难道爱丽丝真的存在？

路易斯·卡罗尔（Lewis Carroll,1832.1.27 ~ 1898.1.14）
原名查尔斯·路德维希·道奇森（Charles Lutwidge Dodgson）

THE
WESTERNE
OCEAN
SEA

据［法］克利斯提昂·约里波瓦同名绘本动画片改编

图书在版编目（CIP）数据

我梦游到仙境 / (法) 约里波瓦文；
(法) 艾利施绘；郑迪蔚编译 .
-- 南昌：二十一世纪出版社, 2013.4
（不一样的卡梅拉动漫绘本）
ISBN 978-7-5391-7649-9

Ⅰ. ①我… Ⅱ. ①约… ②艾… ③郑……
Ⅲ. ①动画－连环画－作品－法国－现代
Ⅳ. ①J238.7

中国版本图书馆CIP数据核字(2013)第048993号

版权合同登记号 14-2012-443
赣版权登字—04—2013—149

我梦游到仙境　郑迪蔚 / 编译

策　　划　张秋林　　郑迪蔚
责任编辑　黄　震　　陈静瑶
制　　作　敖　翔　　黄　瑾
出版发行　二十一世纪出版社
　　　　　www.21cccc.com　cc21@163.net
出 版 人　张秋林
印　　刷　广州一丰印刷有限公司
版　　次　2013年4月第1版　2013年4月第1次印刷
开　　本　800mm × 1250mm　1/32
印　　张　1.5
印　　数　1-60200册
书　　号　ISBN 978-7-5391-7649-9
定　　价　10.00元

本社地址：江西省南昌市子安路75号　330009（如发现印装质量问题，请寄本社图书发行公司调换　0791-86512056）